图书在版编目（CIP）数据

相拥而眠 /（英）弗莱德曼编文；（英）麦克诺顿绘；暖房子译. —北京：北京联合出版公司，2013.4
（暖房子爱的故事口袋绘本）
ISBN 978-7-5502-1478-1

Ⅰ.①相… Ⅱ.①弗…②麦…③暖… Ⅲ.①儿童文学—图画故事—英国—现代 Ⅳ.①I561.85

中国版本图书馆CIP数据核字(2013)第077002号

LITTLE TIGER PRESS
Text copyright © Claire Freedman 2010
Illustrations copyright © Tina Macnaughton 2010
An imprint of Magi Publications
1 The Coda Centre, 189 Munster Road, London SW6 6AW
All rights reserved.

本书中文简体版由 Little Tiger 出版公司【英】授权北京联合出版公司独家出版。
未经出版者许可，任何单位或个人不得以任何方式复制、摘录或抄袭本书中的任何内容。

相拥而眠

【英】克莱尔·弗莱德曼/文　　【英】蒂娜·麦克诺顿/图　　暖房子/译

选题策划：北京禹田翰风图书有限责任公司	北京联合出版公司出版
责任编辑：张　萌　刘冰远	（北京市西城区德外大街83号楼9层 100088）
版权联系：杨　娜	北京新越翔达彩色印刷有限公司 印刷　新华书店经销
项目编辑：姚湘竹	总字数 40 千　889mm×1194mm　1/48　18印张
礼盒设计：刘　璐	2013 年 5 月第 1 版　2016 年 1 月第 4 次印刷
封面设计：辰　子　孙美玲	ISBN 978-7-5502-1478-1
内文设计：呼世阳	总定价 128.00 元（全 30 册）

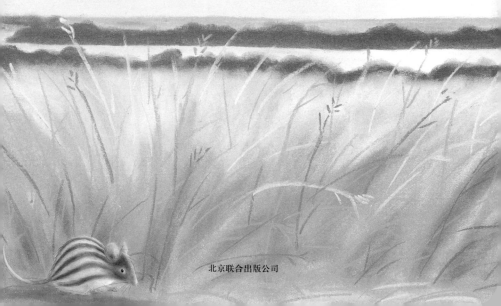

·暖房子爱的故事口袋绘本·

相拥而眠

【英】克莱尔·弗莱德曼 / 文　　【英】蒂娜·麦克诺顿 / 图　暖房子 / 译

北京联合出版公司

美丽的霞光把天空染成了柔和的橘红色。
安静下来吧，上床睡觉的时候到了。

在松软的泥浆里，小河马蜷缩着身子，
趴在大河马的背上，觉得温暖又舒适。

害羞的羚羊，穿过像波浪一样随风
起伏的茂密草地，悠闲地漫步。

度过了漫长的一天，他们准备回家去了。

勇敢的小豹子不再练习咆哮。

困意渐渐袭来，他们紧紧地依偎在一起。

高高的树梢上，小鸟们叽叽
喳喳地叫个不停。

渐渐地，叫声越来越弱，越来越弱，终于消失。
他们睡着了。

巢穴里，小豪猪紧紧地蜷成一团，
变成了一个个小刺球。

长颈鹿在藏身之处四下观望了
一阵，然后疲倦地垂下脖子。

周围一片安宁与祥和。

淘气的猴子在树上大声叫喊："天还没有黑呢。再多玩一会儿,拜托了!"

斑马玩得气喘吁吁，
趴在地上。
　　他们精疲力尽，在落
日的余晖中，进入了梦乡。

蛾子扇着翅膀飞舞，蝙蝠追随着猎物一闪而过，大象低声哼着摇篮曲。

天色越来越暗，小狮子打起了瞌睡。
昏昏欲睡的他们一下下地点着头，
慢慢地闭上了眼睛。

明亮的星星在空中闪烁，月亮轻柔地泛着微光。万籁俱寂，让我们依偎在一起，相拥而眠。愿每一个生命都拥有甜美的梦！